Hatier Vacances

Florence Doutremépuich

Françoise Perraud

professeurs des écoles

Illustré par :

Caroline Hesnard

Sommaire

© Éditions Hatier – 8 rue d'Assas, 75006 Paris – 2020 – ISBN : 978-2-401-05136-2
Conception graphique : Valérie Nizard • Coordination et édition : Archipel studio •
Mise en page : Ici & ailleurs • Dessins bandeaux : © Freepik.

Crédits photographiques : 12-hg ph © DoraZett / Fotolia ; 12-hd ph © Brett Critchley / Dreamstime.com ; 12-bg ph © Jim Craigmyle / Getty Images ; 12-bdph © Ulrika Finnberg/NordicPhotos / Photononstop ; 28-hg ph © papinou / Fotolia ; 28-hd ph © Alekss / Fotolia ; 28-bg ph © François Gilson / Biosphoto ; 28-bd ph © Jerzy Gubernator / SPL - Science Photo Library / Biosphoto ; 29 ph © Tiziana Bertani / Biosphoto ; 31 ph © Françoise Perraud • Planche d'autocollants : 29-g ph © John Devries / SPL - Science Photo Library / Biosphoto ; 29-m ph © Alexandre Petzold / Biosphoto ; 29-d ph © Joël Bricout / Biosphoto

Présentation

Conseils aux parents

● Ce cahier va permettre à votre enfant de **consolider les acquisitions de la Moyenne Section**, à travers 10 thématiques amusantes et propices à la découverte. Il pourra ainsi se préparer **à bien réussir son entrée en Grande Section** de Maternelle.

● Toutes les notions fondamentales dans les domaines du **graphisme**, des **mathématiques**, de la **lecture** ou encore de l'**orientation spatiale** et de l'**exploration du monde** y sont abordées, en conformité avec les nouveaux programmes. Les corrigés situés en fin du cahier valideront la réussite de votre enfant.

● Il est possible de suivre les pages du cahier dans l'ordre, mais aussi de laisser votre enfant **choisir un thème** dans le sommaire en images ci-dessus. Le puzzle à découper permettra de faire une pause ludique. Pour réaliser les pages «À toi de faire!», l'aide de l'adulte est souvent nécessaire.

● Ce cahier sera l'occasion d'un **moment de plaisir et de complicité** entre vous et votre enfant. C'est dans un climat détendu qu'il tirera le meilleur profit des activités proposées.

Dans le cahier, des pictogrammes indiquent les savoir-faire requis :

📖 Écoute

◉ Observe

💬 Réponds

⌐ Trace

✌ Compte

✋ Dessine ou colorie

⬤ Colle

Partons en vacances !

Langage

1 **Reconnais**-tu tous ces véhicules ? **Nomme** tous ceux que tu connais.

2 **Entoure** la bonne réponse.
Qui conduit le tracteur ?

De quelle couleur
est la petite voiture ?

Que doit mettre le motard pour rouler en sécurité ?

4

Continue de tracer les rails du train.
Écris le nom du train sur la pancarte.

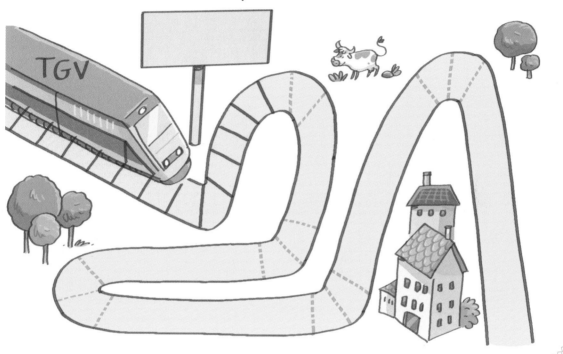

4 Maths

Compte le nombre de roues de chaque véhicule. **Colorie** le carré qui correspond à ce chiffre.
Puis **entoure** le véhicule qui a 3 roues.

1 2 3 4

1 2 3 4

1 2 3 4

1 2 3 4

➡ Corrigés p. 42

5 Explorer le monde

 Colle les autocollants de chaque véhicule là où il peut se déplacer : dans le ciel ou sur l'eau.

6 **Trace** le chemin que doit suivre la voiture pour aller jusqu'à la station-service.

→ Corrigés p. 42

Piquenique en forêt

Langage

Connais-tu la chanson de la forêt ? **Nomme** tout ce que tu vois sur l'image. **Entoure** les dessins lorsque tu entends le son [ou].

Dans la forêt lointaine
On entend le coucou
Du haut de son grand chêne
Il répond au hibou
Coucou Hibou Coucou Hibou
Coucou Coucou Coucou

→ Corrigés p. 42

Prépare des sandwichs pour le piquenique

Il te faut :

du pain de mie

de la mayonnaise

une boite
de thon

un concombre

du fromage
à tartiner

Sandwichs concombre/fromage

1. Lave et coupe le concombre en rondelles.

2. Étale du fromage sur 2 tranches de pain de mie.

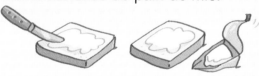

3. Dépose 4 rondelles de concombre sur une des tranches et recouvre avec l'autre.

4. Coupe le sandwich en 4 petits carrés.

Sandwichs au thon

1. Ouvre la boite de thon et verse-le dans un bol.

2. Ajoute 2 cuillères à soupe de mayonnaise et mélange.

3. Étale la préparation sur une tranche de pain de mie et recouvre avec une autre tranche.

4. Coupe le sandwich en 2 triangles.

Colorie en jaune les étiquettes écrites en LETTRES MAJUSCULES et en vert, celles écrites en lettres minuscules.

CHIPS

biscuits

MOUTARDE

mayonnaise

jus d'orange

COMPOTE

③ Graphisme / écriture

Continue à décorer le panier du piquenique. **Colorie** les fruits.

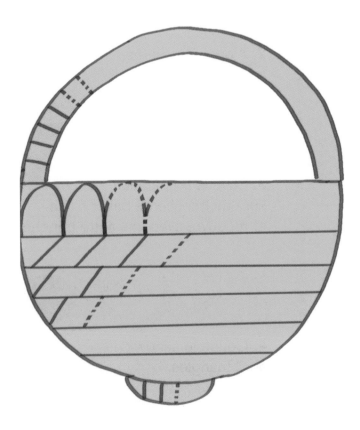

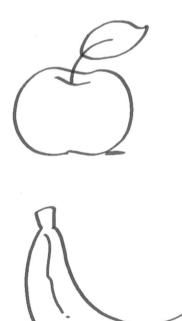

Colle les autocollants des oiseaux qui manquent pour qu'il y en ait 5 sur chaque branche.

→ Corrigés p. 42

Mes copains à 4 pattes

1 Quelles jolies petites familles!

Montre et **nomme** le chien, la chienne, le chiot, le chat, la chatte et les chatons.

2 **Observe** les différences entre la patte du chien et celle du chat.

Relie chaque patte à son empreinte.

Graphisme / écriture

Continue à dessiner les barreaux de la cage du hamster.
Puis **colorie** le lapin.

Repasse ensuite sur les lettres pour écrire les noms
de ces deux petits animaux.

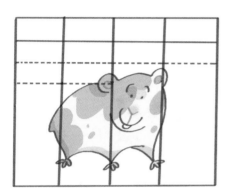

HAMSTER   LAPIN

Maths

Colle les autocollants des 2 chiens manquants pour qu'ils soient
rangés du plus petit au plus grand.

→ Corrigés p. 42

5 Pour dire bonjour en anglais, on peut dire « Hello! ».

Colle l'autocollant de la bulle pour que les deux enfants se disent bonjour et **répète** « Hello! ».

6 Pour dire au revoir en anglais, on peut dire « Goodbye! ».

Colle l'autocollant de la bulle pour que les deux enfants se disent au revoir et **répète** « Goodbye! ».

7

Raconte cette histoire en suivant les images.

Il y a 2 images pour la fin, **barre** celle qui n'est pas possible.

8

Lecture

Entoure la gamelle des chiens si leur nom commence par la lettre **P**.

PLOUM — DADOU — BILLY — PATO

➡ Corrigés p. 42-43

Tous à la plage !

1 **Explique** ce que fait chaque personnage.

Trouve les 5 différences dans l'image du bas.

Entoure-les.

2 **Entoure** la bonne réponse.

Quel oiseau est sur l'image ?

Qui est l'enfant qui se baigne ?

3

Graphisme / écriture

Continue à tracer les vagues. **Repasse** sur les lettres pour écrire le nom du bateau et **colorie**-le.

→ Corrigés p. 43

4 **Observe** et **colle** les autocollants dans le bon ordre.

5 **Observe** et **colorie** en respectant l'ordre des couleurs.

6 **Maths**

 Compte les ronds sur le parasol jaune.

 Dessine plus de ronds sur le parasol blanc.

Réalise une expérience scientifique : qu'est-ce qui flotte ?

Il te faut :

un bouchon
en liège

un crayon

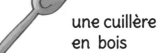
une fourchette

un bouchon
en plastique

une pièce
de 1 €

une brosse
à dents

une cuillère
en bois

1. Remplis d'eau le lavabo.

2. Mets le bouchon en liège dans l'eau.

3. Observe bien : s'il reste à la surface, il flotte. S'il tombe au fond, il ne flotte pas.

4. Recommence cette expérience avec tous les objets.

Et maintenant,
entoure les dessins des objets qui flottent.

→ Corrigés p. 43

Quel cirque !

1 **Montre** la funambule sur l'image.
Explique ce qu'elle va faire.
Connais-tu d'autres artistes
de cirque ? **Nomme**-les.

> Attention
> Mesdames et Messieurs !
> Notre funambule va réaliser
> un numéro exceptionnel. Elle va
> traverser tout le chapiteau sur
> un fil à plus de 10 mètres du sol.
> Je vous demande le plus
> grand silence...

2 **Entoure** la bonne réponse.

Qui est le dompteur ?

Que va utiliser le jongleur ?

Où sont les chaussures du clown ?

20

Colorie les fauves qui sont **à l'intérieur** de la cage.

Puis **colle** les autocollants des tigres **à l'extérieur** de la cage.

4 Graphisme / écriture

Continue à dessiner les balles autour des jongleurs.
Colorie leurs costumes.

→ Corrigés p. 43

Colorie chaque partie des clowns avec la couleur indiquée par les formes géométriques.

Puzzle à découper

Découpe les morceaux du puzzle, assemble-les et colle-les dans le cadre pour découvrir dans quel endroit extraordinaire ces enfants sont partis en vacances !

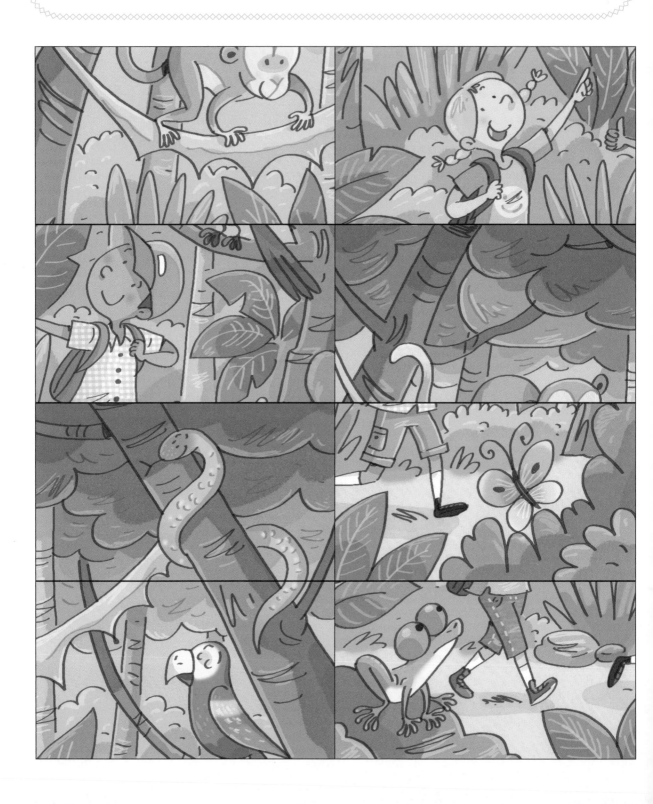

Continue de colorier ces toucans pour décorer
le dos de ton cadre.

 **Observe** les 4 affiches et **entoure** l'affiche du cirque.

Surligne en rouge la lettre **i** sur les affiches, la couverture du livre et l'enveloppe.

Le Petit Crocodile du Nil

GUIGNOL

Jardin des Capucines
16 heures

CIRQUE

Dans votre ville
Dimanche 15 juillet
à 18h.

Lili la souris
9 villa des Mimosas
75001 PARIS

Corrigés p. 43

Langage

1   **Écoute** et **observe** pour mieux connaitre les insectes.

La coccinelle

Les **coccinelles** n'ont pas toutes le même nombre de points : la plus connue en a 7. Elles se déplacent généralement en marchant mais elles peuvent aussi voler.

L'abeille

Les **abeilles** vivent dans des ruches. Elles récoltent le pollen des fleurs.
Elles fabriquent du miel.

La fourmi

Les **fourmis** vivent en très grand nombre dans une fourmilière. Elles sont très organisées et mangent de tout.

La mouche

Il existe différentes espèces de **mouches**. Par exemple : la mouche domestique, la mouche bleue, la mouche à vinaigre, la mouche tsétsé…

2   **Réponds** aux questions.

Qui vit dans une fourmilière ? Dis son nom puis colorie sa case en **VERT**.

Qui a des points noirs ? Dis son nom puis colorie sa case en **ROUGE**.

Qui peut s'appeler « tsétsé » ? Dis son nom puis colorie sa case en **BLEU**

Qui fabrique du miel ? Dis son nom puis colorie sa case en **JAUNE**.

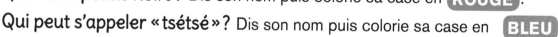

3 Au cours de sa vie, le papillon passe par 4 étapes
très différentes : l'œuf, la chenille, la chrysalide, le papillon.

 Colle les autocollants de ces différentes étapes dans
le bon ordre. Puis **entoure** le papillon.

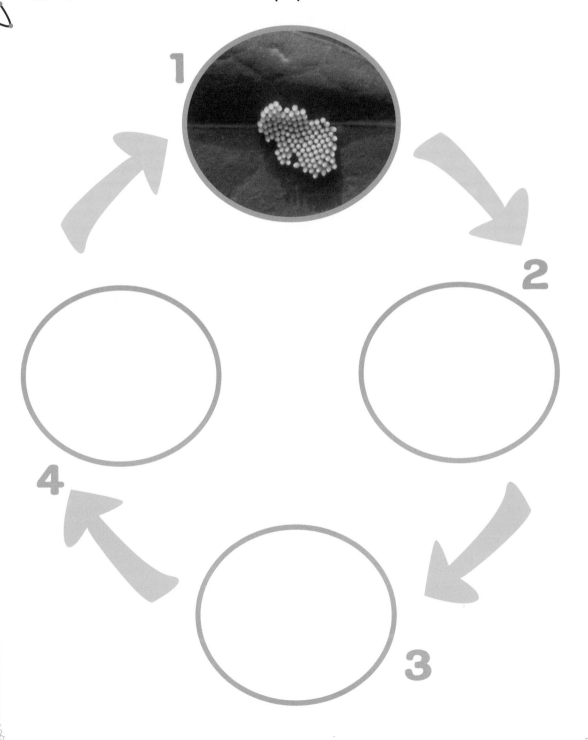

→ Corrigés p. 43

4 **Décore** et **colorie** l'aile droite du papillon pour que les 2 ailes soient identiques.

5 **Repasse** sur les lettres pour écrire PAPILLON.

PAPILLON

6

Maths

Observe ces petits animaux. **Entoure** en rouge celui qui a le plus de pattes et en bleu celui qui en a le moins.

Fabrique tes petites bêtes en pâte à modeler

Il te faut : de la pâte à modeler de différentes couleurs.
Suis les modèles pour réaliser un escargot, une coccinelle et une araignée.

ESCARGOT

COCCINELLE

ARAIGNÉE

Un seul de ces petits animaux est un insecte.
Sauras-tu le trouver ? Entoure-le.

Indice : tous les insectes ont 6 pattes.

27

→ Corrigés p. 43

Splash !!!

Langage

1 **Explique** ce que fait chaque enfant dans la piscine. **Montre** celui qui sait nager sans bouée.

> C'est le jour de la piscine !
> Allez hop, tout le monde dans l'eau !
> On joue, on nage, on saute,
> on s'éclabousse…
> Il y a même un champion qui sait
> nager sans bouée !

2 **Barre** les 3 intrus qui sont arrivés par erreur dans l'image.

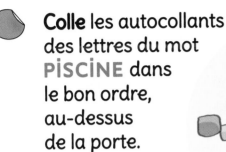

③ Lecture

Colle les autocollants des lettres du mot **PISCINE** dans le bon ordre, au-dessus de la porte.

④ Espace / temps

Trouve dans quel ordre il faut regarder les images pour raconter cette histoire. **Numérote** les images de 1 à 4.

➤ Corrigés p. 43-44

5 Graphisme / écriture

Continue à décorer les maillots de bain qui sèchent.

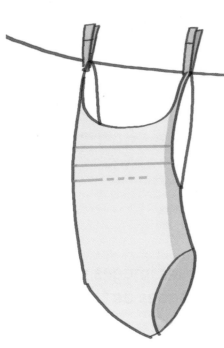

6 Maths

Les plots de départ doivent être numérotés dans l'ordre, de 1 à 6.

Colle les autocollants des chiffres qui manquent.

7 **Répète** les mots **RED** et **BLUE** en montrant ce qui est rouge et bleu sur cette image et autour de toi.

8 **Colorie** les grosses bouées avec la couleur indiquée en anglais.

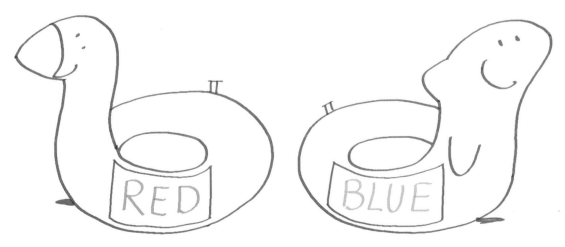

RED

BLUE

→ Corrigés p. 44

1 ········ **Espace / temps** ········

Entoure en bleu les pingouins qui sont en haut de l'iceberg et en rouge ceux qui sont en bas.

Observe les noms des parfums de glaces et **colorie** en rouge la glace à la **FRAISE**.

CHOCOLAT

FRAMBOISE

CITRON

FRAISE

VANILLE

Compte les glaçons dans les verres.

Sous chaque verre, **colle** l'autocollant de la main qui montre le même nombre de doigts.

➡ Corrigés p. 44

4

Repasse sur les boucles que font les patineurs sur la glace de la patinoire et **continue** à les tracer.

Corrigés p. 44

Fabrique des glaçons surprises

Il te faut :

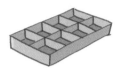 un bac à glaçons

 du sirop de grenadine
(ou un autre sirop)

 un grand verre   des framboises   des feuilles de menthe

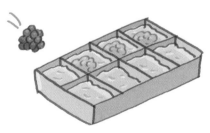

1. Mélange dans le verre du sirop de grenadine et de l'eau.

2. Remplis le bac à glaçons avec ce mélange.

3. Dépose une framboise dans la moitié des cases du bac à glaçons.

4. Dépose une feuille de menthe dans les autres cases.

5. Mets le bac dans le congélateur. Laisse-le quelques heures pour obtenir des glaçons.

6. Prépare des verres d'eau et de limonade et ajoute les glaçons surprises ! Regarde-les fondre…

Bienvenue à la ferme !

1 **Nomme** tous les animaux qui sont dans la ferme, puis **compte** leurs syllabes en tapant dans tes mains.

Colorie un rond si tu as tapé une fois dans tes mains, et **colorie** deux ronds si tu as tapé deux fois.

ÂNE

CHAT

CHEVAL

MOUTON

COCHON

OIE

2 **Répète** plusieurs fois la comptine. **Entoure** les animaux dans lesquels tu entends le son [in].

Tous les matins
Le petit lapin
Va prendre son bain
Avec les poussins.

3   Maths

Dessine autant d'œufs dans le panier qu'il y a de points sur le dé.

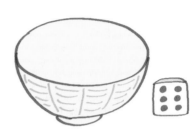

4   Lecture

Surligne toutes les lettres **E**, **e** que tu vois sur ce panneau.

BIENVENUE À LA FERME !

EN VENTE DIRECTE :

fromage de brebis   beurre   CONFITURES

   fraises   poires   cerises

→ Corrigés p. 44

5 **Colle** dans la prairie les autocollants des animaux dont le corps est recouvert de poils.

Colle dans la bassecour les autocollants de ceux dont le corps est recouvert de plumes.

Graphisme / écriture

6 **Dessine**-moi un poussin...

Pour cela, **reproduis** chaque étape du dessin dans les cases.

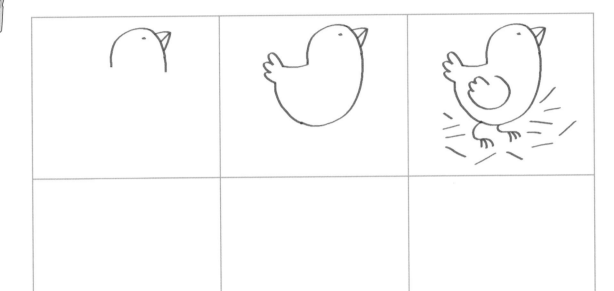

7 **Repasse** sur les lettres pour écrire le mot **POUSSIN**
et **colorie** sa maman poule et son papa coq.

POUSSIN

→ Corrigés p. 44

Les enfants du monde

Écris comme les enfants chinois en recopiant ces idéogrammes.

Complète le tapis volant d'Aladin : **colle** les autocollants des lampes et des dromadaires dans le bon ordre.

lampe	dromadaire	lampe		lampe
dromadaire			lampe	
	dromadaire			

➔ Corrigés p. 44

Tous les enfants ont des visages différents

Mais, comme toi, chacun a deux yeux, un nez, une bouche, deux oreilles, des cheveux...

Observe bien ton visage puis apprends à le dessiner.
Il te faut : un miroir, des crayons ou des feutres, une feuille de papier.

1. Regarde-toi dans un miroir :
Montre tes yeux, ton nez, ta bouche, tes dents, tes joues, tes oreilles, ton front, ton menton.

2. Ouvre très grand tes yeux, puis ferme-les. Ferme un œil, puis l'autre. Gonfle tes joues.

3. Ouvre grand la bouche et tire la langue. Amuse-toi à inventer d'autres grimaces !

1. Sur une feuille de papier, commence par dessiner le tour de ton visage en traçant un grand ovale.

2. Dessine tes yeux sans oublier les sourcils. Ajoute le nez et la bouche.

3. Termine ton portrait en ajoutant tes oreilles et tes cheveux. Puis écris ton nom dessous.

Corrigés

PARTONS EN VACANCES ! · p. 4-7

Langage
2/

Graphisme / écriture
3/

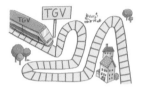

Maths
4/

| 1 2 3 4 | 1 2 3 4 | 1 2 3 4 | 1 2 3 4 |

Explorer le monde
5/

Espace / temps
6/

PIQUENIQUE EN FORÊT · p. 8-11

Langage
1/

Lecture
2/

CHIPS · biscuits · MOUTARDE · mayonnaise · jus d'orange · COMPOTE

Graphisme / écriture
3/

Maths
4/

MES COPAINS À 4 PATTES · p. 12-15

Explorer le monde
2/

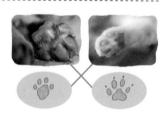

Graphisme / écriture
3/

Maths
4/

Anglais
5/

HELLO! · HELLO!

6/

GOODBYE! · GOODBYE!

Corrigés

Espace / temps
7/

Lecture
8/

TOUS À LA PLAGE ! • p. 16-19

Langage
1/

2/

Graphisme / écriture
3/

Espace / temps
4 et 5/

Maths
6/

À toi de faire !

QUEL CIRQUE ! • p. 20-23

Langage
2/

Espace / temps
3/

Graphisme / écriture
4/

Maths
5/

Lecture
6/

DRÔLES DE PETITES BÊTES... • p. 24-27

Langage
2/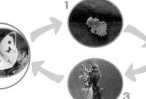

Espace / temps
3/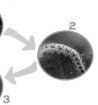

Graphisme / écriture
4/

Maths
6/

À toi de faire !

SPLASH !!! • p. 28-31

Langage
2/

Corrigés

Lecture
3/
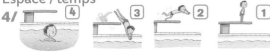

Espace / temps
4/

Graphisme / écriture
5/

Maths
6/

Anglais
8/

A GLA GLACE ! • p. 32-35

Espace / temps
1/

Lecture
2/

Maths
3/

Graphisme / écriture
4/

BIENVENUE À LA FERME ! • p. 36-39

Langage
1/

2/

Maths
3/
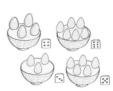

Lecture
4/

Explorer le monde
5/

LES ENFANTS DU MONDE • p. 40-41

Espace / temps
2/

44

Achevé d'imprimer en Italie par ELCOGRAF
Dépôt légal : 05136-2/01 - Mars 2020